밀짚모자 일당

쵸파에몬
토니토니 쵸파 【 닌자 】

'새의 왕국'에서 '강한 약' 연구에 몰두하다.
재합류에 성공.

[선의 현상금 100베리]

루피타로
몽키 · D · 루피 【 낭인 】

해적왕을 꿈꾸는 청년. 2년의 수련을 거치고,
동료와 합류. 신세계로 향한다.

[선장 현상금 15억베리]

오로비
니코 로빈 【 게이샤 】

혁명군 리더이자 루피의 아버지 드래곤이
있는 바르티고를 거쳐, 합류.

[고고학자 현상금 1억 3000만베리]

조로주로
롤로노아 조로 【 낭인 】

어두우르가나 섬에서 자존심을 버리고 미호크
에게 검의 가르침을 간청. 이후 합류에 성공.

[전투원 현상금 3억 2000만베리]

프라노스케
프랑키 【 목수 】

'미래국 벌지모어에서 자신의 몸을 더욱 개조
'아머드 프랑키'가 되어 합류.

[조선공 현상금 9400만베리]

오나미
나미 【 여닌자 】

기후를 분석하는 나라, 작은 하늘섬
'웨더리아'에서 신세계의 기후를 배워 합류.

[항해사 현상금 6600만베리]

본키치
브룩 【 유령 】

수장족에게 잡혀 구경거리가 되었으나, 대스타
'소울킹 브룩'으로 출세하여 합류.

[음악가 현상금 8300만베리]

우소하치
우솝 【 두꺼비 기름 장수 】

보인 열도에서, '저격의 제왕'이 되기 위해
헤라크레스의 가르침을 받고 합류.

[저격수 현상금 2억베리]

Shanks
샹크스

'사황 중 한 사람. '위대한 항로' 후반
'신세계에서 루피를 기다린다.

[빨간 머리 해적단 선장]

상고로
상디 【 소바장수 】

'뉴하프만 왕국'에서 뉴커머 권법의 고수들과
대전. 한층 더 성장하여 합류.

[요리사 현상금 3억 3000만 베리]

코즈키 모모노스케
[와노쿠니 쿠리 다이묘 (후계자)]

여우불 킨에몬
[와노쿠니의 사무라이]

안개의 라이조
[와노쿠니의 닌자]

소낙비 칸주로
[와노쿠니의 사무라이]

오키쿠
[와노쿠니의 사무라이]

· 아카자야 아홉 남자 ·

코즈키 히요리
[모모노스케의 여동생]

아슈라 동자 (슈텐마루)
[아타마야마 도적단 두령]

카와마츠
[와노쿠니의 사무라이]

이누아라시 공작
[모코모 공국 낮의 왕]

네코마무시 나리
[모코모 공국 밤의 왕]

· 와노쿠니 ·

시노부
[베테랑 여닌자]

오츠루 (킨에몬의 아내)
[찻집 점주]

규키마루 (오니마루)
[강탈 승병 · 코마 여우]

야스이에
[코즈키 가문 다이묘]

토코
[도읍에 사는 아이 · 카무로 · 야스이에의 딸]

텐구야마 히테츠
[도공]

오타마
[와노쿠니 쿠리에 사는 아이]

꽃의 효고로
[야쿠자 대두목]

피 글자의 오오마사
[우동의 야쿠자 두목]

찢긴 삿갓 츠나고로
[하쿠마이의 야쿠자 두목]

박꽃의 오쵸
[링고의 야쿠자 두목]

뱀눈의 야탓페
[키비의 야쿠자 두목]

잠발
[하트 해적단 선원]

샤치
[하트 해적단 선원]

펭귄
[하트 해적단 선원]

베포
[하트 해적단 항해사]

트라팔가 로
[하트 해적단 선장]

· 하 트 해 적 단 ·

전력의 시실리안 (사자 밍크)
[이누아라시 총사대 대장]

완다 (개 밍크)
[전수민족 왕의 새]

캐럿 (토끼 밍크)
[전수민족 왕의 새]

· 모 코 모 공 국 ·

킬러 (살인귀 카마조)
[키드 해적단 전투원]

유스타스 키드
[키드 해적단 선장]

· 키 드 해 적 단 ·

말뚝잠 쿄시로
[쿠로즈미 가문 전속 환전상]

오로치 오니와반슈
[와노쿠니 쇼군 직속 닌자 부대]

후쿠로쿠쥬
[오로치 오니와반슈 대장]

쿠로즈미 오로치
[와노쿠니 쇼군]

카이도 측에 습격 작전이 들통나지만, 야스이에의 재치 덕에 백지로 돌리는 데 성공. 하지만 야스이에는 처형당하고 만다. 슬픔에 젖을 겨를도 없이 계획을 재정비하는 킨에몬 일행. 습격 준비를 하는 와중, 붙잡혔던 루피 일행도 채굴장을 제압하고 효고로 일행이 동료로 가담하여 결전을 준비한다. 그런 즈음, 기억을 되찾은 빅 맘이 카이도와 접촉하고 살육전을 시작하는데……

백수 해적단

백수의 카이도
【 사황 】

수차례 고문과 사형을 당하고도 아무도 그를
죽일 수 없어, '최강의 생물'로 불리는 해적.

[백수 해적단 선장]

빅 맘
샬롯 링링 【 사황 】

'사황' 중 한 사람. 통칭 빅 맘. 수명을 뽑아내는
'소울소울 열매' 능력자.

[빅 맘 해적단 선장]

'대간판'

화재(火災)의 킹

역재(疫災)의 퀸

가뭄해 잭

'토비롯포'

X (디에스) 드레이크

페이지원

'신우치'

바질 호킨스

홀덤

바바누키

다이후고

솔리티아

스피드

도봉

Story · 줄거리 ·

2년의 수행을 거치고, 샤본디 제도에서 재집결에 성공한 밀짚모자 일당. 그들은 어인섬을 거쳐 마침내 최후의 바다, '신세계'에
이른다!! 루피 일행은 '사황 카이도 격파'를 위해 와노쿠니에 상륙하여 2주일 후 습격 작전에 대비해 동지를 모으고 있었다. 하지만
루피는 돌연 나타난 카이도에게 패배해 죄수 채굴장으로 보내진다. 다른 동료들도 카이도의 부하에게 발각되어 도망치는 신세가!

ONE PIECE
vol. 95
오뎅의 모험

CONTENTS

제 954 화
'용이 날개를 얻은 듯'

'갱' 벳지의 오 마이 패밀리 Vol.5 '레벨리 소동 탓에 '레드 라인'을 넘을 수 없다!!'

'오니가시마' 습격 7일 전에

사무라이들은 대량의 칼을 손에 넣었다.

와노쿠니 '링고'—

아버지가 처형당하기 전에 오라버니와 저는

제 아버지 코즈키 오뎅은… '대도(大刀) 이도류(二刀流)'의 검사였습니다.

안 됩니다, 히요리 님!! 오뎅 님의 유품을 넘기다니요!!

……
……

……

저는 '엔마'.

그 두 칼을 한 자루 씩 맡게 되었지요.

오라버니는 '아메노하바키리'.

이런 어디서 굴러먹던 말뼈다귀인지 모를 사내에게!!

그렇기에!! 안 되는 겁니다, 공주!!

오뎅 님의 칼을 쓰게 하다니요!!

둘 다 일찍이 와노쿠니에서 이름을 떨친

명공 두 사람이 벼리어 낸 유서 깊은 칼입니다.

——하지만 이 나라에서 그것은

도둑맞아 온 나라를 슬픔에 잠기게 만든 '신기(神器)'.

뭐, 모리아가 훔친 거겠지.

······.

도신(刀神) 류마의 칼 '슈스이'가 어떠한 경위로

당신의 손에 넘어갔는지는 모릅니다.

9

※봉납 : 신불에게 헌상하다

알았어······. 칼은 돌려주겠다만 나중에 성묘는 하게 해다오.

류마와는 시체라곤 하나, 한번 겨뤄본 사이니까 ·········.

망상이 심해!! 괜찮은 겁니까, 이 녀석!! 공주!!

······음. 대신할 것을 준다면······. 뭐어······.

'슈스이'는 이 나라에 ※봉납(奉納) 해주세요!

시꼭
……
…!!

라세츠 마을 사무라이들은 아직 해방되지 못한 채.

꽃의 도읍.

시꼭시꼭

와글와글

너와 '키드', '아푸' 이 세 해적단의 동맹은.

너희 동맹은 대체 어떻게 된 거냐.

괴물 카이도는 이렇게 말했다.

스크래치멘 아푸는 애당초 카이도의 산하였어….

우리는 함정에 걸렸지….

놈은 늘 강한 병사를 원하지………!!

'내 부하가 되겠다면 환영한다'고.

최강의 군대를 만들기 위해서 말이야.

그 자리에서 내 '승리 확률'은 0%.

선택의 여지가 없지…….

'도주 성공률' 0%. '복종 생존률' 40%.

11

카이도는 그런 녀석들을 죽이려 하지 않아.

맞서서 그 자리에서 움직이지 못하게 될 때까지 계속 싸웠지………

―하지만 키드와 킬러는 달랐다.

어떻게든 마음을 꺾어 복종시키려 한다.

제길…… 어떡한담 …

……

…… .

5천 명도 꿈이 아니야.

대단해. 목표였던

맞습니다. 훌륭해요!!

시간이 아깝다!!

'수호신이 되어라!!'...... 말인가.

'너희는 와노쿠니의'

코즈키 가신도 7명이 모였다!!

아직 '덴지로'의 정보는 없다만

17

작전 회의!!

그래, 시작하세나!!

두웅!!

사실은
두 가지다.
―하나는

잉어에게
배를 끌게 하는
이판사판식
입국―.

갑작스러우나―
'와노쿠니'에
입국하는
방법은

그곳에서
곤돌라로
선원 및 뱃짐을
끌어올린다.

와노쿠니

동굴의 종점에
있는 곳은
'두더지
항구'

두 번째는
폭포를 갈라
동굴을 통과하는
방법.

두더지
항구

18

지상까지
올라가면
그 구멍은

드득
드득···

쏴 아 아 아···

물론
카이도, 오로치의
허가가 없으면 무사히
지나갈 수 없다.

D (독자) : 앗! UFO! (오다 쌤이 쳐다보는 틈에)
하나둘, SBS를 시작합니다!!　　　P.N. 토모토 잇시

O (오다) : 엇?! 어디?! UFO!! 볼래! 완전 보고 싶어! 자전거 타고 다녀올게!!
어디로 갔어?! 아 빛났다 빙글빙글 도네?! 아이돌 팬 응원 춤?!
SBS 시작해버렸잖엇—!!

D : 오다 쌤에게 질문! 목이 늘어나는 선생님은 능력자인가요?
아니면 따로 무슨 종족이거나 그런가요?　　P.N. 낭인 마사주로

O : 있긴 있었죠. '사라헤비 선생님' 말이군요.
아이들에게 매우 인기 있습니다만, 당연히 오로치,
카이도의 수하고, 아이들에게 '반(反) 코즈키'
거짓된 역사를 주입하는 나쁜 선생님입니다.
뱀의 SMILE 능력으로 인해, 목이 뱀입니다.

D : 오다 선생님, 안녕하세요.
곧바로 본론입니다만 최악의 세대의 '이미지 꽃'과
'이미지 동물'을 알려주세요.　　P.N. 타쿠사이

O : 예입. 꽃에 대해서 빠삭하지 않으니까 꽃말은 찾아보지 않을 거예요!

루피	키드	로	검은 수염
· 해바라기 · 원숭이	· 튤립 · 투우	· 월하미인 (月下美人) · 눈표범	· 석산 · 하마
조로	킬러	호킨스	보니
· 등꽃 · 상어	· 스노드롭 (눈 물꽃) · 족제비	· 흑백합 · 말	· 프리지어 · 사슴
벳지	우루지	아푸	드레이크
· 장미 · 코알라	· 국화 · 코끼리	· 양귀비 (Poppy) · 오랑우탄	· 용담 · 알로사우루스

제 955 화
'엔마'

'갱' 벳지의 오 마이 패밀리 Vol.6 '어느 섬에서 식량보급'

준비 다 되었네!! 정말 괜찮은 게지?

오빠한테 아첨하지 마, 띨띨아.

모모노스케 군, 뭐 갖고 싶은 거 없니?

쭈왑

설마 그때 너와 함께 있던 미녀가?!!

오오, 미안하군. 그 꼬마가 멋대로 꺼내가는 통에.

귀철!! 역시 명검이었군.

'우동'이 몰수했던 '2대 귀철'.

히테츠 공! 먼저 이것을! 루피타로 씨에게

그래, 이미 끝난 이야기야⋯⋯⋯!!

20년⋯⋯ 이 칼을 두 분께 반납하는 날을

손꼽아 기다리고 있었다!!

찌리잉

—어디 보자⋯. 나는 텐구야마 히테츠!!

와노쿠니의 도공이라네!!

……

근처의
나무 한 그루를
시험 삼아
베어 보도록.

전무후무
'코즈키 오뎅'
단 한 사람!!!

이 나라에서
'엔마'를
고이 다룰 수
있었던 자는

!!!

어?!!

조로 공, 소인이
아끼는 마음에
딱 잘라 말하네만

소인이라면…
받지 않을
걸세.

빠밤!!

쮜이이

끄악—
조로주로의
팔이!!

………
……!!

해안이
잘렸어!!

팡 !!

돌아가!!

이게…?

쿠구쿠구구

부글!!

※유앵 : 무장색 패기의 와노쿠니식 표기.

자네는 지금
말라비틀어져
쓰러졌을 터…….
훌륭하군.

필요
이상으로
'벤다'……!!
보통
검사라면

소유자의
※유앵'을 멋대로
방출시켜

하아. ………
……!! 하아.

어쩔 텐가?
다른 칼로
하겠나?

어이없는
남자군…

이 녀석에게
익숙해지면
………

나는 더
강해질 수
있다는 거지?

카파파.

힉

아니,
이놈을
받겠어!!!

'엔마'라…!!

'백수 해적단'의 병력이 약 2만 명.

'쇼군 오로치'의 '행렬' 머릿수는 약 1만 명.

내가 들은 정보로는

습격까지 앞으로 3일

서민이 휘말리지 않는 만큼 '지리적 이점'도 적에게 있어.

저택 지도가 있어도 말이지……!!

즉 당일 '오니가시마'에는

'3만 명'의 적이 있다는 셈이 돼.

30

자, 고쳐보자. 얘들아!!

쿠리 족제비 항구

쿵쿵쿵 쿵쿵쿵

뭐 전면 전쟁이 아니라곤 하나……

얼추 4천 명.

그에 반해 우리의 수는 지금

30,000 VS 4,000

헛수고니까
그러지!!

명청아!!
많아서
나쁠 게
뭐 있어!!

그렇게
많이는
안 오잖수.

10만 명이
모여도
탈 수 있게끔
한다!!

시간이
없다!!

내기하자.
몇 명이
모일지.

'건(銃)'!!!

우와
——!!!

'우동'
죄수
채굴장

'킹 콩
~~~'

예전에…
마을의 할배한테
배웠을 뿐 나도
말해본 적 없어.

조로주로
'스내치'는
말하면 아니
된다던데.

'삿갓 마을'
죽림——

너무
힘줬어.

이럼
안 되는데.

에엑?!

안 된
거였어?!

그 안에 있는 자들이 바로 굳센 사무라이들이건만………!!

항의하는 가족까지 붙잡는 판국!!

원통하지만 어쩔 도리가 없어.

도읍에서 잡힌 자들은

꽃의 도읍 라세츠 마을 감옥소

모두가 목숨 걸고 싸우는 이 때에………!!

마지막 찬스인데!!

젠장!!

이봐, 관리!! 좀 있으면 축제야! 참가하고 싶어!!

안 돼!! 입 다물어!!

알겠네!!

약속의 항구에서 만나자!!

남은 시간은 이동과 준비에 할애해다오.

다들 고생 많았다!!

우리 써니 호는 여기 해안에 있으니까!!

그래!!

다른 이들보다 먼저 도착해야 하니.

─그럼 루피 공, 소인들은 먼저 가겠소.

쿠리 '삿갓 마을'

습격 전날!!

그래!!

─그럼 항구에서!!

꽈약!!

자네들을 의지하고 있다네!!

무슨 소릴! 계속 긴장의 끈을 조이고 있거늘!!

들키지 않기다?!!

그래야지. 맡겨만 둬!!

뭐가?!!

깡!! 띵!!

정말인가…

그 수만큼 불행한 노동자들이 많다.

이 나라에는 수많은 굴뚝이 있고

깡 깡

덜컹

띵!! 쿵!!

※붉은 칼집

참으로 엄숙한 걸음을 내딛는
아카자야 사무라이 7명과
닌자 1명, 요인 1명.

20년의
시간을 넘어
주군의
원통함을
풀고자
하는,

밝게
타오르고

슬쩍 구름이
드리웠지만

태양은
중천에

마치 겨울의 서리처럼 울리는 메마른 대지를 밟고 나선다.

전투에서 이기면 더 훌륭한 무덤을!!

야스이에

뗴도로

'망령'이 아닌 아홉 명의 그림자를 또렷이 드리웠다.

네가 가진 '3대 귀철'은 내 작품이다.

응?

애송이…… '엔마'는 손에 익지 않나?

그래?!

'요도'와 이치는 같다. 약한 자는 다룰 수 없어…

히요리 님은 그 칼을 눈치채고 '아버지의 유품'을 맡긴 걸지도 모르지.

낳은 부모가 같은 인물!! 명공 '시모츠키 코자부로'.

50년 이상 전에 이 나라에서 위법 출국한 사내다.

!!

그리고 손에 익숙할 가장 큰 이유는 어찌 된 연인지

그 하얀 칼 '화도일문자'와 '엔마'를

두퍼어엉!!

쎄엑!!

코즈키 히요리 생존......!! 북쪽 땅이라...

'반시뱀 항구'에서 '도마뱀 항구'로 변경......!!

신용 못 할 짓을 하다니…

—뭐, 이쪽을 진압하면 충분하겠지.

우동이 무사하다?

네, 문제 없습니다!

뭐냐, 오보인가 ......?!

식끌 식끌

여기로
모이시오!!

자,
다들!!

때는 마침내
'불축제' 날을
맞이하고──.

길을
열어라

하늘은
쾌청

벚꽃이
흩날리는
'꽃의 도읍'.

그 뒤에서
세계의
운명조차
뒤흔들
'싸움'이

쇼군
행렬이
지나신다
──!!

시작된다!!

와노쿠니 제2막
완(完)

'엔마'는
아직 흑도가
되지 않았다!!
너 하기 따라서
'위열'도
오를 거다.

!!

이히히히!!

두고 봐라,
카이도.

D : 안녕하세요, 오다 선생님. 제가 오다 선생님에게 질문하고 싶은 게 있는데요.
그게요, 조로는 검을 입에 물고 있는데,
이빨이 아프진 않은 건가요?
제가 가장 좋아하는 캐릭터는 조로입니다.
from. N 슌야 군

O : 음─. 조로를 좋아하는 슌야 군! 착한가요─.
하긴 조로는 아플 거 같긴 해요─.
하지만 열심히 악물 거랍니다! 왜냐하면,
옛날에 '둘 중 누구든 세계 제일이 되자'라고 약속했던
절친이 죽어버렸고, 입에 물게 된 검은
그 친구의 유품이니까.
친구의 원통함을 자신의 강함으로 바꾸기 위해
조로는 삼검류가 되었답니다!
그러니까 이빨이 아파도 검을 악물 거예요!
세계 제일이 되는 날까지!! 엽서 고마워요!
또 보내줘요!

D : 935화의 목욕탕에서 물의 술법을 써서 탕 속에
몸을 숨긴 자가 있는 거 같은데요,
그거 사실 저예요!   P.N. 사나닷찌

O : 너였냐!! ⚡
모처럼 슌야 군과 올바른 SBS 중이었는데 다 망쳤어!!

D : 감동적인 장면 등이 있는 이야기일 때는
다음 페이지에 SBS라는 상스러운 코너가 없어서,
그 이야기의 여운에 젖었던 경험이 몇 번인가 있었던 거
같은데요, 이건 고집인가요? 우연인가요?
                P.N. 호시토

O : 네! 없애거나 우솝 갤러리로 꾸미거나. 고집하고 있습니다!
좋은 이야기 후에 사나닷찌 같은 게 나오면 싫잖아!

제 956 화
'빅 뉴스'

'갱' 벳지의 오 마이 패밀리 Vol.7 '야! 로라잖아! 진짜로 신랑 찾았네?!!'

오랜 여행 노고 많았다!!

어인섬 '용궁 왕국' 용궁성—

감사드리어요. 루피 님의 할아버님!!

뭐… 차 대접은 받겠다만 사태가 사태이니…

그럴 수만도 없어…!!

가프, 자네도 푹 쉬다 가게.

—기진맥진 하다몽.

피곤하지? 넵튠. 푸와하하핫!!

'레벨리'는 늘 대사건을 부른다……

아랫놈끼리 다투게 하지──. '자원'이나 '기술'은 협박 도구고.

강국끼리는 조용히 눈싸움에

각각 나라 내부 또한 문제 투성이.

50개나 되는 나라들이 모여 '앞으로도 사이좋게'로 그칠 리가 없지!!

국민을 위해, 타국을 위해라고 발언할 수 있는 왕이 몇이나 있을꼬.

막상 손 잡으면 미소 지으며 서로 발을 짓밟겠지.

실제로 국왕끼리 나란히 서는 꼴을 허용치 않거든!

나라의 '빈부', '종교'의 차이는

'원탁'이 울겠다, 울어.

나는 이걸 평화라고 부르겠다만········

피만 흐르지 않는다면

우리도 그렇다만 나라의 역사가 엮이게 되면 뿌리가 깊지.

확실히 왕들의 대화는 일촉즉발········!

이번 것은 위험해 ···········.

선내에서 보고를 받았다.

우리의 출항 직후 사건이 벌어지고……

'레벨리' 해산 후,

?

새삼스런 소리네만… 사실 너희에게 알리지 않은 사건이 한 가지 있네.

──부디 지상을……!! 인간들을 겁내지 말아다오!!

!!

해군은 전력으로 사건 해결에 임할 것이나

正義

비비 님……?!

어…?

알라바스타 왕국에 관한 사건이다.

'레벨리'는
이번에도
험악한 채

PANGAEA CASTLE
마리조아
판게아 성

현재—
'레벨리'
해산으로부터
일주일.

두

웅!!

와 아 아 아 아 아 아 아

까

와!

각자
귀로에
올랐다—.

각국
대표들은

와

푸
르
르!!

최고의
헤드 라인을
달아!!!

용케
이만한
일이
터졌군!!

사건에
이어
또 사건
이야!!

'세계경제
신문사'

조금
시간을
거슬러
올라가

사장님!!
일면은 대체
어떤 뉴스를?!

우왓 과왁 시골
시골

푸
르
르!!

타닥 타닥
타닥 타닥!
타닥!

NEWS

'의결결과'도
최고다!!
'살인미수'도
가슴이
두근대!!!

하지만

'사상자'가
나왔잖냐!!!
사망 기사는
날개 돋친 듯
팔리지!!

MORGANS
세계경제 신문사 사장
모르건즈

오호ㅡ.
엄청난 액수의
수표로군!!

정보 조작
명령이지?
대체 무슨
건인지….

사장님!!
정부에서
속달 통지가!!

예!!

'양 A면'으로
간다!!
뒷면도 일면 기사
구성으로!!

시골 허둥지둥

46

시키는 대로
하시지,
모르건즈.

…..
…….

찌익 찌익

………쿠와하하하.
이건 돌려
보내라!!

?!!

아니,
아니….

이 사건을
어둠에 묻어서야
되겠나!!

언제 숨어든 거냐……!!

?!

까악—!!

탕!!

타당!!

으아악—!! 사이퍼폴이다!!

그 전에!! '저널리스트'라고!!!

나는 수전노지만!!

'빅 뉴스' 모르건즈를 감히 얕봐?!!!

사장님!! 정부의 관리를!!

때로는 거짓말로 사람들을 춤추게 하는 활자의 DJ!! 뭘 실을지는 내가 정해!!!

누설할 정보가 있나 봐요.

모르건즈 씨!! 와포루 왕에게서 연락이!!

예!!

본사 이사다!!

얘들아!! 여기는 위험하다!!

뭣이이~~~~~?!

눈 깜짝할 새
세상에 퍼졌고,
사람들은
경악했다.

왕들의 결의와
그곳에서 벌어진
사건은

정부가 덮으려다
실패한 사건을
포함해서——

그럴 리 없어!!
거짓말이지,
사보—!!!

우와아아아아아아아아

'혁명군 총본부' ——뉴하프만 왕국——

'세경'이잖아?!!
그 뺑쟁이
새놈 사장!!!

잠깐만.
이게
웬일이냐블!!!

사보…….

사실
확인이다……!!!

일단은…

그
사보잖아!!!
말이
안 된다블!!!

노는 믿지
않아!!!

어떻게 확인을 해야 할지……!!

전원 연락은 끊긴 그대롭니다.

거짓말이지…
……?

사보 군…

형님이이?!!

허…

마리조아에?! 있었다구 ………?!!

고아 왕국 국왕 호위선

에에엑

엇?

오늘은 폐점이랜다….

사보 군이……

왜 그러지, 마키노 녀석……

세상이 이렇게나 뉴스투성인데?!!

못 마시는 거야~~~~?!

고아 왕국 '후샤 마을'

따아, 따아.

'바다'!!

맞다………

'안개'.

나다, 코비.

현재— 어느 섬—

!

아…… 기다려주세요. 장소를 바꿀게요.

당초 예정대로 군은 움직이지 않을 겁니다.

그러니 그쪽에 관해서도

온 세계의 해병이 움직여도!

네에. 이제 처리할 재간이 없어요!

………!! 그런 일이 ……?!

뭐니 뭐니 해도 병사가 부족해요.

군은 해적끼리 맞싸움을 기대하고 있어요.

빅 맘이 '오니가시마'에 도착한 건—

와노쿠니는 세계정부에 가맹하지 않았으니까…… 그거면 됐지 싶다만서도……

와노쿠니 '에비스 마을' 변두리—

—그렇겠지. 그 일전에 살육전을 벌인 그 카이도와 빅 맘 말인데……

'거래'를 했다는 셈이 되지.

나는 몇 분 사고가 멎었다.

!!

정부가 이 해적이 지배하는 와노쿠니와

해적여제 보아 행콕을 붙잡기 위해

'여인섬'으로 가고 있습니다!!

너는 지금 어디에?

이번에 온 세계 사람들을 가장 놀라게 한 뉴스 중 하나가

세계의 '3대 세력' 중 하나였는데?! 괜찮을까?!

헤헤헤―!! 마침내 사라지는구나, 정부의 개들!!

뭐가 해적여제냐!! 매의 눈!! 삐에로!!

세계 각국―

사라져야 마땅해!!

해적과 손 잡은 것 자체가 악이야!!

'왕의 부하 칠무해' 제도의 철폐다!!!

금방 잡힐 거랜다, 그 녀석들!!

대활약 했는데!!

정상전쟁 때는

약탈자가 기고만장 하기는!!

만세~ ~~~ ~~!!

대다수의 찬성을 얻어 가결되었다 ──!!

'칠무해'에게 실제 피해를 입은 두 나라 왕의 의제는 격렬한 협의 끝에──

버기!! 즉, 너는 이제 그냥 '해적'이다!!!

세계 정부와의 관계가 일체 단절되었다!!

네놈들 '왕의 부하 칠무해'는 자동적으로 그 모든 권리를 박탈당해!!

── 따라서!!!

신세계 카라이 바리 섬

볼장 다 봤으니 잡아가겠다고라?!! 인의고 뭐고 없는 자식들 같으니!!!

이 자식들, 더럽게시리!!! 상담도 없이 일방적으로 정하고

BUGGY THE CLOWN
버기즈 딜리버리 단장
전(前) 왕의 부하 칠무해
친냥 광대 버기

분풀이도 정도껏 하란 말이다!!!

지들이 멋대로 크로커다일이나 도플라밍고에게 뒤통수 맞아도 그렇지

버기 단장!! 해안이 완전히 포위됐어요!!

내 인생 계획이 엉망진창이얘!

근성을 보여줘라, 짜식들아~~~~!!!

우오오오!! 역시 버기 단장~~~!!!

싸우는 게 당연하지!!!

어떻게 할깝쇼?!! 도망칩니까?!

우오오~ ~~~~.

어엉?!!

난 그 사이에 꽁무니 뺄 테다!!

그럼 다 박살낼 거야!!

흰 수염의 이름 아래!!

진짜?!

한편이 아니게 된 모양이다.

정말이지 용서가 안 돼!!

위블!! 해치워도 좋다!!

前(前) 왕의 부하 칠무해 자칭 흰 수염 Jr.(주니어) 에드워드위블

EDWARD WEEVIL

……
……

뱀공주 님, 연안에 해군의 배가!!

'왕의 부하 칠무해' 권력을 박탈당했어!!

뱀공주!! 큰일이다뇽!!

여인섬 '아마존 릴리'

강함 때문이었다는 것을…!!

허둥댈 거 없다…. 저 녀석들, 잊어먹은 모양이군.

우리가 '왕의 부하 칠무해'가 된 건

前(前) 왕의 부하 칠무해, 해적여제 보아 행콕

BOA HANCOCK

하필이면!!

지금?!!

와!

'사황'이 손을 잡았다아~~~~~~~~?!!

정확히는 '이제부터 잡는다'는 정보.

전설의 '록스 해적단'에 대해서도 정보가 너무나도 적어서…

목적도 대처 방향도 보이지 않는 상태.

――아직 실질적인 해도 없고

돈벌이 이야기 하나로 긁어모아 생겨난 개성 집단.

'록스 해적단'이란 먼 옛날 '해적섬 벌집'에서

이건 예상도 못했다.

으~~음…….
빅 맘과 카이도는 오랜 세월 '견원지간'.

……
……

선내에서도 '동료 죽이기'가 끊이지 않는 흉포한 일당이었지.

――지금은 '록스'라는 이름조차 모르는 해병도 많지만

네에~~
~~~
~~~?!!

?!!

젊은 날의
'흰 수염',
'빅 맘',
'카이도'!!!

멤버는
선장
'록스'를
필두로……

'금사자',
'은부(銀斧)',
'캡틴 존',
'왕직(王直)'……

훗날
이름이 퍼진
'록스' 출신의
해적은 그밖에
또 있다…

미……
믿기지
않아!!

놈들 셋은
사실 옛날에
같은 해적선을
탔던
거다………!!

거짓말이죠?!
왜 그런 놈들이
역사의
그늘로……?!

——마치
테러 조직처럼
세계정부에
엄니를 드러내

선장
록스의
야망은
'세계의 왕'.

이야기를
전할 자가
없을 정도로
다들 사이가
나빴던 것이
첫째……

그 위협만큼은 당시 모르는 자가 없었다.

하지만 정부에 의해 말소된 사건이 많았던 것이 또 하나.

갓 밸리라는 섬에서 괴멸되었다는

세계 최강으로 불린 '록스 해적단'이

'갓 밸리'에서 일어났다.

운명의 사건은 38년 전

뉴스가 보도된 거다!!

'해군 중장' 가프라는 남자가 막았다!! 가프의 이름은 세상에 울려퍼져

'해군의 영웅'으로 불리게 되었지.

누구도 막을 수 없었던 악의 진격을

이 이야기를 하고 싶어하지 않아…………!!

──하지만 당사자는 그다지

가프 중장은 이미 '영웅전설'이 너무 많아서…

그게 시작이었군!!

……. …….

네? 어째서죠?

'빅 맘'에 '카이도'~ ~~~~?!

약간만 이야기 하겠다만…

………사실 확인을 위해

아주 줄줄이……!!

……. …….

기사에는 실리지 않았지만

첫 번째 이유는………

그 싸움에서 '해적'과 손을 잡고 만 것.

'천룡인'을 지켜버린 것.

다른 하나는 ········.

해적?!

!

?!

네?! 이야기 어디에 천룡인이?!

'천룡인'의 직속 부하가 돼버리기 때문이다.

가프가 '대장' 자리를 거듭 거절하는 이유 중 하나는

녀석의 도덕에 그 의무는 들어있지 않아.

천룡인을 지키는 건 해병의 의무 아닌지?!

그만한 태도를 보이고도 제거당하지 않는 것 또한 '실적'과 '인망' 덕택이지.

마침 그곳에 있던 가프와 로저가 손을 잡고

──즉 진상은······!!

'록스 해적단'을 깨부순 사건!! 그게 바로 '갓 밸리' 사건이다.

'갓 밸리'에서 '천룡인'과 그 노예들을 지키기 위해

모인 사람들 봐.
'천룡인'에 '로저'에
'록스'까지 모여든

그 섬에는 대체
뭐가 있었던 거죠?!
'갓 밸리'라는 지명을
들어본 적이 없는데.

해적왕과
손을 잡고
싸웠다??!

——그리고
실제로
갓 밸리는

흔적도 없이
사라졌지.

GOD VALLEY

'갓 밸리'라는
섬은

현재
지도에도
실려있지
않다.

?!!

——그 섬에
대해
아직 더
묻고 싶나?

사라지고
말았다
……….

세계정부가
숨기고
싶었던
섬이………

……….
……!!

——일찍이
록스라는 야심가가
'세계의 왕'을
목표로……

——그저 우리 세대 일부 해병의

세계의 터부를 지나치게 접했기에

기억 속에 잠들어 있을 뿐이다…!!

'록스 해적단'에 관한 정보는 지금도 남은 것 없이

최강의 적이었을지도 모르지….

로저에게도 처음이자

'사황'으로 불리게 된 셋을 이끈 남자가 있었다니…!!

옛날이라곤 하나…

69

이제 이 세상에는 없지만

이따금 나타나는 'D'의 이름을 지닌 해적이었다.

——선장은 록스라고만 불렸으나…

…………

본명은 '록스 D. 지벡'.

!!

'동맹'이 사실이라면

38년 전과 지금 둘의 실력은 완전히 다르지.

일찍이 같은 배를 탔던 건 사실이지만

카이도와 빅 맘이

세계 최악의 해적단이 탄생하려는 거야.

……!!

ㅋㅋㅋ

ㅋㅋㅋ..

'칠무해' 지위에서 쫓겨난 자들의

새로운 현상금을 결정해야만 합니다.

네. 때마침

브랜뉴!! 지금 둘의 현상금 액수는?

70

'사황'으로 불리게 된 '검은 수염'.

ㅡ우선 약 1년 전에

위이ㅡㅇ

한번 전원의 금액을

복습해두죠.

시끌

시끌

MARINE

MARINE

현재 해적섬 벌집의 '총책'.

지금도 성장확대 중인, '흰 수염'을 대신하는 신세력.

강력한 부하를 손에 넣어

팟!

지잉——

2년 전 임펠 다운 습격 사건으로

마샬 D. 티치!!

'검은 수염 해적단' 제독

22억 4760만 베리!!!

베크맨, 루, 야솝… 간부들이 각각 유명하고

높은 현상금 평균을 자랑하는, 가장 밸런스가 좋은 철벽의 해적단.

—다음으로 검은 수염에 이어 '사황'으로 불리게 된 지 6년

4명 중 나이는 가장 어리고 부하들의 신뢰도 두터우며

………… ……!!

DEAD OR ALIVE

MARSHALL D. TEACH

₿ 2,247,60○

WANTED

'백수의
카이도'

'백수
해적단'
총독

46억
1110만
베리!!!

앞으로
해군 특수
과학반
'SSG'의
활동 여하에
달렸죠.

독을
뽑는 것만이
옳은 판단인지
아닌지는

보낼 수
없게
됩니다!!

이후
이 '사황'들에게
'칠무해'라는
전력을

.........정신이
아찔하군.

——참고 삼아
말씀드립니다.
전설의 남자들
현상금액!!

그러고 보니

'흰 수염', '로저', '빨간 머리'가 좋아했던

'와노쿠니'의 해적이 있었지…!!

!

흰 수염 배에서 옛날에 대장을 맡았던 사내.

'코즈키 오뎅' 말입니까.

웅성

?

이번 건에 설마하니 오뎅은 관계가 없겠지만………!!

……
…….

오뎅은 그 후 로저가 데려가 '해적왕의 마지막 여행'에 동행한 남자.

77

나는 아무래도 우연 같지가 않아, 사카즈키.

거물들은 왜 이토록 '와노쿠니'와 엮이는 것인지

?!!

웅!!

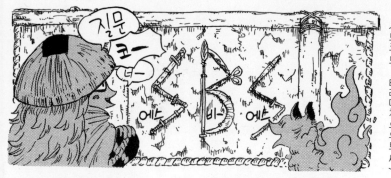

D : 오다 선생님! 미호크의 흑도 '요루'와 십자가 나이프의 의인화가 보고 싶어요!
지금까지 그린 게 전혀
멋지지 않으니까!
부— 부—! 그러니까 이번에는
미호크의 멋짐에 지지 않을 그런
의인화를 부디 멋지게 그려주세요!
꼭 부탁해요!
반드시요!!   P.N. 逃課偶皮

O : 오〜 잘 그렸다! 그것도 괜찮은데요
이미. 하지만 이렇게까지 구체적으로
설명을 해주시니 알기 쉽네요—.
여성이 좋다 이거죠. 라저!!

의인화에〜 성공했습니다!! 이것 참 프로가 점잖지 않게
솜씨를 뽐내고 말았네요! 이걸 공식으로 하겠습니다!

제 958 화
'약속의 항구'

'갱' 벳지의 오 마이 패밀리 Vol.8 '자매였어?! 로라는 며칠 전에 드레스로자로'

바보야, 너 같은 건 걸림돌밖에 안 돼!!

내가 도와줄 수도 있어. 오뎅 씨!!

뭐 도와줄까? 오뎅.

저기, 오뎅 씨. 나라면….

※'차남'에게 주로 붙이는 이름.

'와노쿠니'가 왜 나라의 빗장을 닫았는지

몇 번이나 말하지만 내가 왜 ※지로야!

쭉 의문이었어.

레일리, 아카타로, 버기지로 고맙다──. 하지만

'코즈키'인 우리들이 해야만 해………!!

뜻은 반드시 이어 나가겠다……!!!

멋대로 뛰쳐나와 이제 와서 '쇼군'을 시켜달라는

뻔뻔한 소리를 할 마음은 없지만………

와노쿠니
제3막

83

'반시뱀
항구'——.

이곳은
'하쿠마이'.

배가 한 척도 없다!!

네코 녀석은 제때 못 왔는가.

분명......!! 우동은 제압 했습니다!!

......!!

──하지만 채굴장에도 누구 하나 없었다.

......!!

4천의 병사는 어디인가!!!

공격의 흔적이 있어!!

이 항구.

띠ㄷ

쌔 아아아아아

작은 배는 있군….

쓸 수 있겠어.

…… ……

오니가시마

쿵 짝♪ 쿵 짝♪

무슨 짓이냐 이누아라시!

그만두지 못할까!!!

어젯밤 일어났다—.

쿵 짝♪

깍 깍

두 웅!!

사건은 이미—

D : 오다 선생님, 원피스 굿즈 최다 컬렉터의 기네스 기록
　　5656개로 인정받았습니다!! 만세에에에에에!!!
　　굿즈를 사 모으길 18년간은 잘못된 게 아니었어요.　　　　　P.N. 사나닷찌

O : 헐〰!! 기네스?! 축하해…!! 어?! 사나닷찌다?!
　　뭐지, 이 솔직하게 기뻐해선 안 되는 느낌…!!
　　뻥이지?! 진짜야??
　　[인터넷 조사 중] 아무래도 진짜인 것 같습니다.
　　아니, 그보다 사나닷찌 너, 유튜버였냐!
　　아, 여러분. 안 찾아봐도 돼요!
　　이런 변태남 유튜버.
　　와아, 그나저나 참 그토록 ONE PIECE

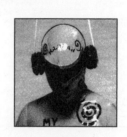

　　좋아해줬구나, 변태인데도.
　　무엇보다 세계 제일이란 게 대단해!
　　솔직하게 말할게. 축하해, 변태지만! 그리고 고마워, 변태지만!

D : 토트랜드에 없는 종족. 거인과 킹의 일족,
　　그리고… **바로 저인가요?**　　　P.N. 코라 씨 사랑하는 킹

O : 아니에요.

D : 우솝의 머리 위에 올라탄 개구리의 이름과
　　만남의 계기를 알려주세요.　　　P.N. 매치와 타케시

O : 이름은 가마(두꺼비) · 뿅노스케입니다.

　　뱀이 노려보며 위험하던 차에
　　우솝이 마침 길을 지나갔고,
　　머리 위로 풀쩍 뛰어 올라탔습니다.
　　우솝은 뱀에게 쫄아서 맹렬 대시(Dash).
　　뿅노스케는 여기 있으면 안전하겠다는
　　생각에, 계속 올라타고 있습니다.

제 959 화
'사무라이'

'갱' 뺏지의 오 마이 패밀리 Vol.9 '입국! 격전의 상처가 고스란히 남은 드레스로자'

약 4200명!!

결전 2일 전——.

이로써 전력은

약속의 항구에서 만나자!!!

그래!!!

우오오

남은 시간은 이동과 준비에 사용해주게!!

우오오오오!!

모두 수고 많았다!!

걱정 붙들어 매, 프라노스케 형씨!!!

약속의 시간까지 항구에 배를 보내야 해!! 할 수 있지?!

그래!!

좋아!!

우와아아!!

쿠리 '족제비 항구'

좋아!! 5천명이 탈 수 있는 배를 완성하자!!!

와노쿠니는 본토 쪽도 땅덩이마다 계절이 달라.

'입구는'이라니 무슨 뜻이지?

추워?!

'오니가시마'의 입구는 '겨울'이라고 오로치가 그랬어.

우리는 모피가 있어서 추위엔 괜찮아.

확실히! 밍크족이 다들 캐럿처럼 변하면 엄청난 전력이야.

당일은 보름달이 뜨는 주기지만 달이 숨으면 의미가 없어.

날씨지!!

우리에게는 계절보다

♥ 크릉큐 ♥

INUARASHI
이누아라시 3총사

GIOVANNI 조반니

CONCELOT 콘슬럿

SICILIAN 시실리안

왜 그래, 루피.

──그보다 네코마무시 나리와 '가디언즈'가 때맞춰 오는 게 중요……

'스론' 변신은 '시간의 운'이야 ……….

와글 와글

WANDA 완다

——아니, 본다 한들 믿기 어려운 사상!!

그 불타는 성에서?! ——누군가의 목을 실제로 보지 않고서야

20년 전의 '옛날'에서 사람이 날아왔다……?!

나조차 아직 사무라이들을 확인하지 못했다.

'쿠리' '우동' 사이 '대교'

퍼어엉!!

웃음거리로 바꿔버리질 않나………!!

장난이었다!! 와하하.

와하하하

하필 야스이에 멍청이가 더…!!

——안 그래도 가신들이 믿어주지 않을 사실을…

하지만 정보는 분명하다!!

므하하하.

사악

내게는 '실행'할 권력이 있지!!!

내 말을 헛소리로 치부해도 좋다!!

그건 자살이나 마찬가지다!!!

다시 한 번 준비하자!!! 다음 기회를.

......
......

모두 멈추어라!!!

오늘 이때를 놓치면 다음 기회는 1년 후와다!!!

하지만!! 이 이상 잠복은 불가능!!!

우동의 제압은 금방 들킬 터!!

카이도 군이 총출동해 모반자들을 사냥하러 올 것이요!!

죄를 뒤집어 쓰고 불타버렸소!!!

'떡고물 마을' 사람들은 우리의 '결전'을 믿고

'쿠리'를 나서기 전에 들으셨을 겝니다.

식량을 계속 훔치는 것도 한계!!

두

꺄악

와

웅!!

....
......!!

D : 혁명군 동군 군대장 벨로 베티가 멋지고 아름다워서 좋아하게 됐어요!
그녀의 모델은 들라크루아 작(作) '민중을 이끄는 자유의 여신'인
마리안느인가요?　　　　　　　　P.N. Yuito

O : 그렇죠. 바로 그 유명한 버스 안내양 같은 명화의!
그런 이미지에서 태어난 베티! 인기쟁이네요—.

D : 오다 쌤에게 질문입니다!! 전보벌레는 소유주의 생김새와 같은 모습을 하고 있는데,
어떠한 원리인 걸까요. 전화를 받은 상대의 모습을 하고 있을 때도 있거나,
소유주 모습 그대로, 누군가와 대화를 할 때도 있어요!
전보벌레는 수수께끼가 많습니다!　　　　　　　P.N. 오마메

O : 음—. 먼저! 전보벌레는 의태 능력을 갖고 있습니다.
근처에 있는 사람 모습이나 특징 등을 흉내 내 모습을 바꾸죠.
그리고 대화 상대가 있을 때는 상대가 대화를 나누며 짓는
표정까지도 파악하고 재현합니다만,
어느 쪽의 모습이 될 것인지, 혹은 어느 쪽도 되지 않을지, 그건 전부 개체마다 기분에
달렸습니다. 기계가 아니라 생물이니까, 딱히 법칙성은 없답니다.

D : 오다 쌤 안녕하세요! 929화에 저택 도면을 산 사람들 모두
라쿠고의 등장인물이네요?
쿠마고로… '오오야마마이리' '코와카레' etc.
코베에… '잔소리꾼 코베에'

키세가와… '고닌마와시'
토키지로… 새벽 까마귀
라쿠다… 라쿠다(낙타)
'회는 참치가 제맛이지'라는 대사도 '메구로의 꽁치'에 대한
오마주죠. 오다 쌤은 정말 라쿠고를 좋아하시는구나 하고 느꼈습니다.
　　　　　　　P.N. 우나기노 타이코

O : 그렇답니다~~! 진짜 라쿠고 소재, 팍팍 넣었어요!
아시는 분들만 히죽거리길 바랍니다!!

제 960 화
'코즈키 오뎅 등장'

'갱' 벳지 오 마이 패밀리 Vol.10 '대 수색!! 로라를 찾아라!!'

폭행상해 사건으로 체포── 그게 '10세' 시절…!!

야쿠자와 항쟁!!

그 화풀이로 노름방에 불을 지르고

석공의 우두머리까지 올라갑니다!!

……

과연 코즈키의 핏줄!!

죄수로서 복역하기 위해 채석장에 갔다가

재능을 발휘!!

이게 대수해를 일으켜 다시금 체포 명령!!

강줄기를 꺾어 도읍에 물을 댔다가

우물이 말라 괴로워하는 사람들을 보다 못해

이때 속세로 나와 개심합니다.

여기서 오뎅 님은 그대로 수로를 통해 해외로 도망을 꾀합니다만 실패!!

……

오뎅 님 '14세' 때!! 도읍은 가뭄의 연속!!

땡 땡
땡 땡

'산신'
이다아~
~~~~
~~~!!!

왓!

!!!

산신이
실존했어!!!

역시 진짜
왔어…!!!

야단났다.
나 때문에 도움이?!!

안 돼.
그 녀석
데려오면!!

엉…?
이 하얀
멧돼지?

몰라?!
킨 씨.

그게 무슨
소리냐,
덴지로.

효고로 일가를
없애려는 거
아냐?!

쿠로코마
두목은
그놈을
이용해서

훔훔

고문서에 따르면
산처럼 큰 하얀
멧돼지!!
그게 바로
'산신'이야!!

부모
멧돼지가
돌격하러
온다구.

그러니까
그 아이가
있는 곳에

땡
땡
땡

훔훔

그냥 옛날얘기인 줄
알았는데…
여기 '하얀 멧돼지'가
실존하니까……
그렇다면

몇백 년쯤 전에
하룻밤 새
마을 하나를
박살 내버렸대.

D : 자기 얼굴이 어리게 찍히는 앱 써본 적 있으세요? 뭐, 오다 쌤 사진은
지금은 됐고요, 제가 좋아하는 미호크와
크로커다일과 도플라밍고가,
그 앱으로 찍고 놀면, 어떤 어린 얼굴로
찍히나요?　　　　　P.N. 보라색 판다

O : 내 사진은 됐다니 뭐야, 사양할 거 없어～.
최신 앱 엄청나게 좋아합니다.

음— 이런 어린애들 싫어.

D : 오다 쌤! 어째서 키드와 킬러는
엉덩이 호흡으로 숨을 쉬지 않는 건가요?
　　　　　P.N. 420랜드

O : 확실히! 그렇게 하면 죽지 않고 끝나겠다!!
이봐, 자네. 키드 해적단 팬도 꽤 있다고!!
좀 맞자!!

D : 오다 쌤, 안녕하세요! 궁금한 게 있습니다.
'모르겠어(知らねェ)'나 '필요 없어(いらねェ)'에
왜 전부 카타카나의 'ェ'를 쓰는 건가요?
이것도 마음가짐 중 하나인 걸까요?
알려주세요!　　　　　P.N. 카나마루

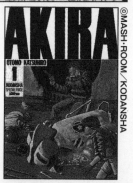

©MASH-ROOM／KODANSHA

O : 이건 간단해요! 'AKIRA'라는 만화가 있는데요.
지금은 온 세계에 애니메이션 영화 팬이 있는
명작입니다. 그 만화 속에 보면 이런 식으로
작은 글자를 사용하는데 중학생 때 즈음에 영향을
받았습니다. 특색 있어서 멋있어!! 같은 느낌으로.

제 961 화
'산신 사건'

(도쿄 도 · 키다 유우타)

D : 도플라밍고가 어쩐지 '스파이더맨'과
닮았다는 느낌이 드는 건 나뿐? P.N. 에피

O : 과연. 하지만 일본에서 유행한 거
최근이잖아요—. 저는 그렇거든요.
이 눈의 형태, 제가 유치원생 시절에 유행해서, 당시에
마구 그려댔던 '가면라이더 슈퍼 1'이라는 게 있는데
그 영향이라고 생각해요. 좋았거든요. 저 눈이!!

©石森プロ・東映

D : 94권 제943화 회상에서, 떡고물 마을 사람들이
SMILE을 먹고 '이렇게 맛있는 사과라니!!'라고
말하는데요, 진짜 악마의 열매랑 다르게
맛있는 걸까요? P.N. 미케토라

O : 진짜 악마의 열매는 맛없다고들 하죠.
아무래도 SMILE은 평범한 과일 맛이 나는 모양입니다.
하지만, 그런 까닭에 '에비스 마을'의 비극이 벌어졌다고도
말할 수 있겠죠.

D : 사복 차림 나미에게 좋지 아니하냐고
해보고 싶어요.
P.N. 노부오 선장

O : 이해 가! '어~이~쿠♡' 하면서 허리띠 푸는 그거죠!
시대극이라고 하기에 좀 거시기 해도 어떻게든 그려보려고
생각은 했는데, 스토리에 잘 엮어 넣지 못해서,
여러분에게 드릴 말씀이 없네요!! 만화가로서 더욱더
여러분의 꿈을 형태로 만들 수 있도록,
실력을 갈고닦아 나가겠습니다!!
헉!!⚡...... 아니아니...!! ......그래... 사나닷찌가
한 말이에요!
SBS, 시간이 다 됐네요! 다음 권에서 또 봐요!!

제 962 화
'다이묘와 가신'

'갱' 벳지의 오 마이 패밀리 Vol.12 키스마(魔)를 쫓는 헤군을 발견

'링고'에서 사건 하나. 배를 굶주리던 꾀죄죄한 형제를 만나다.

춤을 추며 벌이를 하려 해도 마을 사람들은 차갑다.

듣자 하니 무용 집안의 사내아이들인데

아비가 죄인이 되어 가족은 뿔뿔이.

먹지 마, 요 망아지들!!

뻔뻔하게도 우리의 오뎅을 멋대로 먹더니 눈물을 흘렸다.

전(前) 하나야나기 류 종갓집 아이
이조

동생
키쿠노죠

'키비'에— 살아 있는 자와 시체를 가리지 않고

사람의 머리카락을 빼앗는 요괴가 있다.

하루 벌이에 머리카락으로 '붓'을 만들어 파는 변태였다.

내 머리카락을 노리고 덤비기에 쥐어 팼더니 따라왔다.

우와악—. 항복!! 항복!!

시체인 줄 알았지!!

과거 박해를 받은 모양이나 자업자득이다.

키비의 요괴
칸주로

제 963 화
'사무라이가 되다'

몸가짐을
갖추어라.

띠리딩!!

그렇다면
이 돈으로

아하하.
안 어울려!!

너희 같은
깡패가
가신이어서는

학문을
익혀라.

책을
사고

예의를
배우고

소인 ♡

아니야!!
뱃심으로!!
'소인'···!!!

※간모도키 : 오리고기 맛을 흉내 낸 두부 요리

무어냐,
너희들.
요즘 기분
나쁘다고!!!

이 ※간모도키
매우 맛이
좋구려!!

오뎅 님,
오늘도
평안하시지
아니외까.

오뎅이
창피를
당한다!!

제 964 화
'오뎅의 모험'

'갱' 벳지의 오 마이 패밀리 Vol.14 '너희들에게 키스키스 균을 쏴줄 거바이!!'

CHAMP COMICS

원피스 95

2023년 11월 23일 초판 인쇄
2023년 11월 30일 초판 발행

저자 : EIICHIRO ODA
역자 : 길명
발 행 인 : 황민호
콘텐츠1사업본부장 : 이봉석
책임편집 : 조동빈 /정은경
발행처 : 대원씨아이(주)

ISBN 979-11-6894-541-8 07830
ISBN 979-11-362-8747-2 (세트)

서울특별시 용산구 한강대로 15길 9-12
전화 : 2071-2000 FAX : 797-1023
1992년 5월 11일 등록 제1992-000026호